Título original: *L'Ivan no deixa res*
Traducción del catalán de Marinella Terzi
Dirección editorial: María Castillo
Coordinación editorial: Teresa Tellechea
Texto: Roser Rius Camps
Ilustraciones: Carme Peris
Trèvol Produccions Editorials ha contado con el asesoramiento
del psicólogo Luciano Montero

© Trèvol Produccions Editorials, 2005
© Ediciones SM, 2007 - Impresores, 15 - Urbanización Prado del Espino
28660 Boadilla del Monte (Madrid)
CENTRO DE ATENCIÓN AL CLIENTE
Tel.: 902 12 13 23
Fax: 902 24 12 22
e-mail: clientes@grupo-sm.com

ISBN: 978-84-675-1213-7
Depósito legal: M-48842-2006
Impreso en España / *Printed in Spain*
Imprime: Capital Gráfico

Iván
no quiere compartir

ROSER RIUS

Ilustraciones de **CARME PERIS**

–¡MÍAS! ¡MÍAS! –GRITABA IVÁN
A LA HORA DEL POSTRE,
COGIENDO TANTAS CEREZAS COMO PODÍA.
–¡MÍO! ¡MÍO! ¡NO LO TOQUES! ¡ES MÍO!
–DECÍA APARTANDO DE SUS JUGUETES
A SU HERMANA PEQUEÑA.

CUANDO SUS PRIMOS IBAN A SU CASA,
GUARDABA CORRIENDO TODOS LOS JUGUETES
PARA QUE NADIE LOS TOCARA.
–¡IVÁN! ¿HAS DEJADO TUS COSAS
A LOS DEMÁS? –LE PREGUNTABAN SUS PADRES.

EN EL PARQUE SE QUEDABA A MENUDO EN UN RINCÓN,
ABRAZADO A SU PELOTA,
MIENTRAS LOS OTROS NIÑOS JUGABAN JUNTOS.
—¿PARA QUÉ TE SIRVE LA PELOTA
SI NO LA QUIERES COMPARTIR? —LE PREGUNTABA SU PADRE.

POR LAS MAÑANAS, SU MADRE ACOMPAÑABA
AL COLEGIO TAMBIÉN A LARA,
UNA VECINA DEL PORTAL.
–¡MÍA! ¡MAMÁ ES MÍA! –DECÍA IVÁN,
QUE NO QUERÍA COMPARTIR
A SU MADRE CON NADIE.

EN EL COLEGIO, SUS COMPAÑEROS
ESCONDÍAN SUS COSAS EN EL FONDO DE LAS MOCHILAS
PORQUE IVÁN SE QUEDABA CON TODO.
—¡AUNQUE TODO LO COGES, IVÁN,
TÚ NADA DEJAS A LOS DEMÁS!
—CANTABA LAURA ENTRE RISAS.

CUANDO PINTABAN, IVÁN SE QUEDABA CON TODOS LOS LÁPICES.
QUERÍA TODOS LOS TÍTERES DEL GUIÑOL
Y NO DEJABA NI UN SOLO LIBRO PARA LOS DEMÁS
EN EL RINCÓN DE LECTURA.
UN DÍA, AL FINAL DE LA CLASE, LA MAESTRA DIJO:
–LA SEMANA QUE VIENE IREMOS DE CAMPAMENTO.
AQUÍ TENÉIS LA LISTA DE LAS COSAS
QUE TENÉIS QUE TRAER.

ANTES DE SALIR, IVÁN METIÓ EN LA MOCHILA
UNA BUENA PARTE DE SUS TESOROS.
AL LLEGAR AL CAMPAMENTO,
MIENTRAS LOS DEMÁS NIÑOS
JUGABAN CON LOS MONITORES,
IVÁN NO SE SEPARABA DE SUS COSAS
PARA QUE NADIE SE LAS COGIERA.

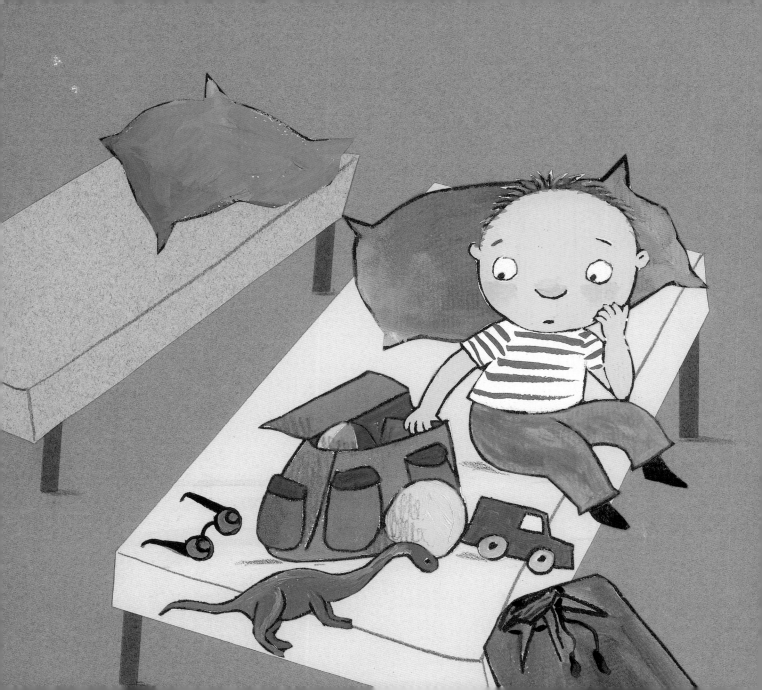

A LA HORA DE IRSE A LA CAMA,
IVÁN EMPEZÓ A REBUSCAR EN SU MOCHILA,
CADA VEZ MÁS NERVIOSO.
IBA SACANDO TODO LO QUE EL DÍA ANTERIOR
HABÍA IDO METIENDO:
EL JUEGO DE CONSTRUCCIÓN, EL DINOSAURIO,
LAS GAFAS PARA JUGAR A LOS ESPÍAS…

–¡MARÍA, NO ENCUENTRO MI CONEJITO! –DIJO
A PUNTO DE LLORAR A LA MAESTRA–. ¡Y SIN ÉL
NO ME PUEDO DORMIR!
–SI QUIERES, TE DEJO MI OSITO –LE PROPUSO ROQUE.
–¿Y TÚ NO LO NECESITARÁS? –LE PREGUNTÓ LA MAESTRA.
–SÍ, PERO LO PODEMOS COMPARTIR –DIJO ROQUE.

—¡PODRÍAMOS ACERCAR LAS CAMAS
Y PONER EL OSITO EN MEDIO!
—¡SÍ! ¡SÍ! ¡POR FAVOR! —AÑADIÓ IVÁN.
—DE ACUERDO —DIJO LA MAESTRA.
CON LAS CABEZAS MEDIO TAPADAS POR LAS ALMOHADAS,
IVÁN Y ROQUE SE CONTARON COSAS AL OÍDO
HASTA QUE SE DURMIERON.

HAZ UN TRAGAPELOTAS

1 Necesitas una caja de cartón, témperas, un *cutter* o unas tijeras y pelotitas de espuma (si puede ser, unas cuantas de cada color).

2 Pinta en uno de los lados de la caja una cara con la boca abierta. Para hacerla, perfila con un lápiz el contorno de un plato de plástico y, luego, recórtalo con la ayuda de un adulto.

3 Marca en el suelo una línea a unos 2 metros del tragapelotas. Cada niño coge las pelotas de un mismo color y, por turnos, intenta tirarlas dentro. Gana el que meta más pelotas en el tragapelotas.

Hablemos de... compartir

Cuando es pequeño, el niño tiene muy desarrollado el sentido de posesión. Por eso, a menudo vive el hecho de desprenderse de sus cosas como una especie de mutilación, de agresión. Hacia los tres o cuatro años, sin embargo, comienza a entender conceptos como "compartir" o "intercambiar".

Los padres y los educadores debemos elogiarlo cuando tenga detalles de generosidad y, en cambio, debemos expresarle claramente nuestra desaprobación cuando se comporte de una manera egoísta.

Podemos practicar el intercambio y el pacto en nuestras relaciones con él y hacerle ver las ventajas de estos comportamientos. Podemos compartir sus juegos, la merienda… En este sentido, puede ser muy provechoso invitar de vez en cuando a los amigos a casa para que se acostumbre a dejar sus juguetes: aunque las primeras veces le costará, debemos hacerle ver que, cuando vaya a casa de algún compañero, también éste le prestará sus juguetes a él.

En el colegio, además de aprender a compartir el material, los libros, los disfraces…, podemos realizar actividades de intercambio con los babis y los lápices de colores. Sería interesante invitar a las familias, una por una, para que el padre y la madre juntos, o por separado, expliquen cómo trabajan esta cuestión en casa; antes, sin embargo, conviene explicar a los niños que, en el aula, estos padres son un poco de todos, porque han venido a compartir su experiencia con todos y a todos tratarán igual.

Así, lentamente, el pequeño se dará cuenta de que si sabe dejar sus cosas, sus compañeros estarán más contentos y le aceptarán sin reservas; también verá que acaparar lo que es de todos no le hace sentirse más seguro, sino que crea un ambiente hostil a su alrededor.

De todas formas, es importante respetar el hecho de que el niño no quiera compartir sus cosas siempre ni con cualquier compañero.